Les dauphins

Texte de Stéphanie Ledu
Illustrations de Julie Faulques

MILAN
jeunesse

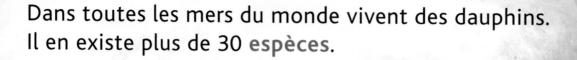

Dans toutes les mers du monde vivent des dauphins.
Il en existe plus de 30 **espèces**.

Blanc et tout rond, le **béluga**
ressemble à un petit fantôme.
Il nage près du pôle Nord
et pêche sous la banquise.

L'orque est la plus grande de la famille. Longue comme 2 voitures, elle s'attaque aux phoques, aux requins, mais aussi aux bélugas et aux autres dauphins !

Et ce drôle d'animal ?
Il fait partie des rares
dauphins d'eau douce.

6

Le **boto** vit dans le fleuve Amazone, en Amérique du Sud. Il se faufile entre les racines de la forêt inondée pour attraper les **poissons-chats** et les **piranhas**.

7

Retour en mer ! Voici des grands dauphins, ou **tursiops**.
Très communs, on les rencontre partout,
sauf dans les eaux glacées des pôles.

Ils vivent souvent en petits groupes, près des côtes.

Chaque jour, les dauphins passent
de longues heures à s'amuser.

Ils se frôlent pour se faire des câlins,
se poursuivent... Pour eux, les cailloux,
les coquillages ou les algues sont aussi des jouets.

On fait la course ? Les dauphins nagent
très vite. **Surfer** sur la vague devant
un gros bateau, c'est encore plus rigolo !

Sauter très haut, puis retomber sur le dos,
c'est aussi un jeu... Splash !

Au sein de la troupe, les dauphins se parlent en couinant ou en sifflant. Les cabrioles servent aussi à dire des choses : « Regardez, c'est moi le chef ! » ou « Suivez-moi, par là il y a à manger ! »

Pour repérer ses proies, le dauphin utilise son sonar.
Il envoie des clics autour de lui... Ces sons très aigus
rebondissent sur les objets, puis reviennent vers le dauphin.

Là, pas de doute ! Un rouget est caché dans le sable...

Burp... Plus tard, le dauphin
vomit les arêtes des poissons
et les carapaces des crevettes,
qu'il ne peut pas digérer.

15

En pleine mer, la troupe s'unit pour pêcher. Les dauphins
encerclent les sardines et les obligent à se regrouper.

16

Puis chacun fonce à son tour
dans le banc de poissons et se régale. 17

Les animaux du groupe sont de vrais amis,
toujours prêts à s'entraider.

Quand un bébé naît, une marraine
le pousse doucement vers la surface.
Le dauphin n'est pas un poisson : comme
nous, il a besoin de respirer de l'air.

Parfois, les femelles gardent le petit
d'une maman partie chasser.

En cas de **danger**, les dauphins luttent ensemble.

Au secours, un requin ! En cas d'attaque,
les cétacés savent se défendre : ils foncent à plusieurs
et lui donnent de grands coups de **rostre** dans le ventre.
Blessé, le terrible prédateur s'enfuit.

Parfois, les dauphins aident aussi les hommes. De nombreux marins racontent comment une troupe est apparue lors d'une **tempête** pour guider leur bateau vers un abri.

23

En Afrique, le peuple des Imragens
et les dauphins pêchent ensemble.

Poissons en vue ? Vite, les enfants
appellent les mammifères marins
en frappant l'eau avec des bâtons.

Les dauphins rabattent les poissons vers les filets.
Ils en profitent pour en croquer quelques-uns !

Approcher les dauphins, c'est un **rêve**.
Mais en captivité ils sont très malheureux...
Faire une sortie en mer avec une association
qui permet de les voir en liberté, c'est mieux.

À Monkey Mia, en Australie, ce sont
les dauphins qui viennent dire bonjour
aux touristes. On peut les admirer, mais pas
les toucher : cela pourrait abîmer leur peau fragile.

27

Il arrive qu'un dauphin quitte son groupe et se retrouve seul.
Pourquoi ? Les scientifiques ne le savent pas.

Ce « dauphin ambassadeur » cherche alors la compagnie
des hommes. Pendant 5 ans, Dolphy a ainsi habité une baie
de la Méditerranée... avant de reprendre le large
avec une nouvelle famille. Bonne chance !

29

Découvre les autres titres
de la collection

Mes P'tits DOCS

Et aussi :
**Au bureau
À table !
Le bébé
Les camions
Le chantier
Les châteaux forts
Les dinosaures**